알기 쉬운 생태계

쉬운 글과 그림으로 보는 자연 이야기

국립생태원 엮음

국립생태원
NIE PRESS

지금 우리 지구에서는
낯선 바이러스가 갑자기 유행하고,
눈이 오지 않는 지역에 엄청난 눈이 쏟아지거나,
비가 와야 하는데 오지 않아 땅이 바싹 말라버리거나,
한 종류의 생물이 전부 없어지는 등,
이상한 일들이 일어나고 있어요.

태양, 공기, 땅, 물과 같이 생명이 없는 것들과
인간, 동물, 식물, 바이러스, 세균까지
모두 어울리며 사는 것이 바로 생태계예요.
우리는 서로가 서로에게 영향을 주고받으며 살아가고 있어요.

그렇기 때문에
우리 주변에서 일어나는 다양한 일들을 이해하기 위해서는
생태계를 잘 알아야 해요.

이 책은 국립생태원의 연구원들이 들려주는 이야기예요.
생태계는 무엇인지,
생태계는 우리에게 어떤 도움을 주는지,
생태계를 위험하게 만드는 것에는 어떤 것이 있는지,
생태계를 지키기 위해 우리는 어떤 노력을 해야 하는지,
쉬운 글과 그림으로 설명했어요.

생태계가 조금 낯설고 어려운 사람도
『알기 쉬운 생태계』와 함께한다면 쉽게 이해할 수 있을 거예요.
이 책을 통해 우리 생태계와 더욱더 친하게 지내 보아요.

차례

생태계란 무엇일까요?

생태계가 위험해요

기후 변화란 무엇일까요?

우리 생태계를 어지럽히는 동물과 식물

동물들이 위험에 빠졌어요

멸종 위기 생물을 어떻게 지키나요?

발전하는 생명 공학

생태 모방이란 무엇일까요?

생태계란
무엇일까요?

생태계는 우리와 함께 살아가는 모든 것을 말해요.
생명이 없는 물, 땅, 공기, 햇빛부터
생명이 있는 동물이나 식물까지,
이 모두가 생태계 안에 함께 있어요.

생태계를 구성하는
생물들

생태계에는 많은 생물이 있어요.
생물은 동물, 식물을 말해요.
동물, 식물이 살아가기 위해 꼭 필요한 것들이 있어요.

식물은 햇빛을 받고 물을 마시면
다른 먹이 없이 살아갈 수 있어요.
하지만 동물은 햇빛과 물만으로는 살 수 없어서
식물이나 다른 동물을 먹어야 해요.

생태계에는
먹이 사슬이 있어요

생태계의 동물, 식물은 서로 먹고 먹히며 살아요.
동물이 식물을 먹고,
그 동물은 다시 다른 동물의 먹이가 되는 것을
'먹이 사슬'이라고 해요.

"메뚜기는 풀을 먹고, 개구리는 풀을 먹는 메뚜기를 먹는다.
개구리는 뱀에게 잡아먹힌다."를
먹이 사슬로 표현해 볼까요?

먹이 사슬

먹이 사슬이 복잡해지면
먹이 그물이 돼요

한 동물이 한 종류의 동물이나 식물만 먹는 것은 아니에요.
여러 동물, 식물이 서로 먹이가 되어 복잡해요.
그렇게 복잡하게 얽혀 있는 모습이 그물처럼 보여서
'먹이 그물'이라고 불러요.

복잡해서 나쁠 것 같다고요?
아니요! 먹이 그물이 복잡할수록 생태계는 더 튼튼해져요.
한 동물이 갑자기 없어져도, 다른 동물을 먹으면 되니까요.
먹이 걱정 없이 살 수 있어요.

먹이 그물

갯벌 생태계의
먹이 그물

갯벌에 사는 생물은
죽은 동물, 식물을 먹고 살아요.
동물, 식물에서 나온 작은 부스러기를 먹기도 해요.

부스러기를 먹는 생물과
그리고 그 생물을 잡아먹는 새까지!
갯벌 생태계도 복잡한 먹이 그물을 갖고 있어요.

동물에서 나온 작은 부스러기 죽어서 썩은 동물, 동물의 땀, 똥, 오줌 찌꺼기
식물에서 나온 작은 부스러기 식물의 낙엽, 줄기, 뿌리가 작게 부서진 것

갯벌 생태계

바다 생태계

다양한 생태계

생태계는 땅과 물에 모두 있어요.
땅은 육상 생태계,
물은 수 생태계라고 불러요.

수 생태계 중의 하나인 습지는
오염된 물을 깨끗하게 만들어요.
또 비가 많이 오거나, 너무 적게 오면
물의 양을 조절하기도 해요.

습지 바다처럼 물에 완전히 잠겨 있지는 않지만, 오랫동안 물에 잠겨 있거나 젖어 있는 땅

순천에 있는 습지

일정하게 생태계를
유지해요

생태계의 생물들은
먹이 사슬 덕분에 안정적으로 살아요.

풀이 많이 나면
토끼들이 먹이를 풍부하게 먹고 살 수 있어요.
먹이를 잘 먹어 토끼의 수가 늘면
토끼를 먹던 호랑이도 먹이를 풍부하게 먹을 수 있지요.

반대로 토끼의 수가 갑자기 줄면
토끼를 먹고 살던 호랑이가 먹을 게 없어 살기 어려워져요.

이렇게 모두 서로 연결되어 있기 때문에
동물, 식물이 골고루 있어야 함께 잘 살 수 있어요.

호랑이

토끼

식물

생태계를 보호하기 위해
노력해요

생태계는 스스로를 보호하는 능력이 있지만
잘못하면 망가질 수 있어요.

비가 너무 오지 않아 땅이 메마른 가뭄,
비가 너무 많이 와서 강의 물이 넘치는 홍수,
비바람이 세게 부는 태풍,
땅이 흔들려 무너지는 지진,
이런 것들이 생태계를 망가뜨려요.

댐, 도로, 골프장 등을 만드는 공사도
생태계를 망가지게 해요.
사람들이 필요한 것을 만들수록
동물, 식물이 살 곳은 없어지거든요.

우리는 생물들이 잘 살 수 있도록
환경을 보호하고 깨끗하게 해야 해요.

건물이나 도로를 만들 때
자연이 망가지지 않도록 조심해야 하고요.

생태계가 위험해요

산의 공기는 맑고 깨끗해요.
숲속 나무들이 나쁜 공기를 빨아들이고
좋은 공기를 내뿜기 때문이에요.

숲은 가뭄, 홍수, 산사태를 막기도 해요.
사람들에게 먹을 것, 입을 것, 집 지을 것을 나누어 주기도 하지요.

그런데 사람들이 생태계를 아끼지 않아 숲이 점점 망가지고 있어요.
생태계가 망가지지 않도록 보호해야 사람도 잘 살 수 있어요.

생태계를 망가뜨리는
것들이 있어요

사람이 많아지고 잘살게 되면서
자연을 망가뜨리는 일이 생겼어요.
그래서 생태계도 조금씩 아파하고 병들어 가고 있어요.

환경 오염

공장이나 집에서 나오는 쓰레기가 점점 환경을 망치고 있어요.
나쁜 환경 때문에 나무가 병들어 죽어 가고 있어요.
결국에는 동물, 식물, 사람도 살기 힘들어질 거예요.

외래 생물

사람들이 필요해서 다른 나라에서 데려온 생물을 말해요.
지금 우리나라에 있는 외래 생물 중에
뉴트리아, 붉은귀거북, 큰입배스가 문제를 일으키고 있어요.
다른 동물의 집을 뺏거나 동물들을 자꾸 잡아먹는다고 해요.

뉴트리아

붉은귀거북

큰입배스

자원 사용

사람들이 편리하게 살기 위해서
필요한 양보다 더 많은 자원을 사용하고 있어요.
먹을 수 있는 양보다 더 많은 물고기를 잡아서 물고기 수가 줄고 있어요.
자원을 아끼지 않으면 우리 생태계가 사라질 수도 있어요.

서식지 변화

서식지는 생물이 사는 곳을 말해요.
사람들이 환경을 생각하지 않고 도시, 도로를 만들어서
서식지가 점점 망가지고, 좁아지고 있어요.

기후 변화

지난 100년 동안 지구의 온도가 많이 올라갔어요.
지구의 온도가 올라가면
땅이 물에 잠기고 바닷물의 온도가 높아져요.
또 가뭄이나 홍수가 생길 수도 있어요.

차에 치여 죽은
하늘다람쥐

빙하가 녹아내려 살기 힘든
북극곰

가뭄으로 마른 땅

생태계를 지키기 위해
노력해요

사람들이 살아가려면
생태계가 망가지지 않도록 노력해야 해요.
그래서 자연을 사용한 만큼 돈을 내는 제도를 만들었어요.

우리나라에는 물을 사용한 만큼 돈을 내는 제도가 있어요.
돈을 내고 물을 쓰면
사람들이 물을 아껴 쓰게 돼요.

자연이나 생태계에 나쁜 영향을 주는 회사도 돈을 내야 해요.
모인 돈은 자연을 보호하고 생태계를 관리하는 데 사용해요.

제도를 통해 생태계를
잘 지키는 나라도 있어요

코스타리카는 생태계를 보호하는 사람에게
돈을 주는 제도를 만들었어요.
땅을 가진 사람이
땅에 있는 나무, 숲, 야생 동물을 잘 보호하면
나라에서 돈을 주었어요.
놀랍게도 이 제도가 생긴 후에 숲이 훨씬 더 많아졌다고 해요.

코스타리카가 이 제도를 통해
생태계를 훌륭하게 지키는 것을 보고
다른 나라에서도 비슷한 제도를 만들어
생태계를 보호하고 있어요.

코스타리카

기후 변화란 무엇일까요?

어느 지역에서 오랫동안 나타난 날씨를
'기후'라고 해요.

기후 변화란
겨울이 예전처럼 춥지 않거나 여름인데도 눈이 내리는 것처럼
예전과 다른 날씨가 10년 넘게 나타나는 것을 말해요.

온실 효과와
지구 온난화

공기 속에 있는 이산화 탄소는
열이 지구 밖으로 빠져나가지 못하도록 막아요.
이 덕분에 지구가 따뜻해지는데 이것을 온실 효과라고 해요.
온실 효과로 지구의 온도가 사람이나 동물, 식물이 살기 알맞게 돼요.

하지만 공장, 자동차에서 이산화 탄소를 많이 내보내면
온실 효과가 심해져서 지구가 계속 더워져요.
이렇게 지구가 계속 더워지는 것을 지구 온난화라고 해요.

지구 온난화 때문에
바다 근처가 물에 잠기고
여러 가지 기후 변화가 생겨요.

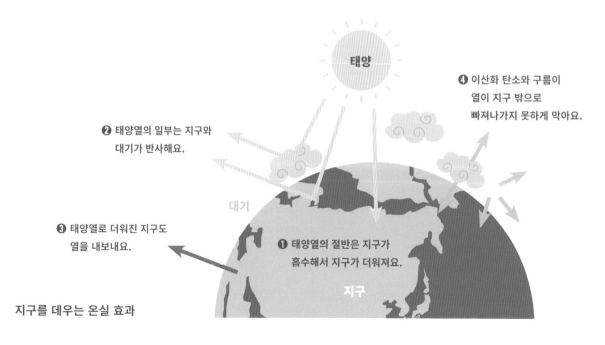

태양

❹ 이산화 탄소와 구름이
열이 지구 밖으로
빠져나가지 못하게 막아요.

❷ 태양열의 일부는 지구와
대기가 반사해요.

대기

❸ 태양열로 더워진 지구도
열을 내보내요.

❶ 태양열의 절반은 지구가
흡수해서 지구가 더워져요.

지구

지구를 데우는 온실 효과

지구 온난화로 바다에 잠기는 나라가 있어요

남극, 북극은 아주 추운 지역이에요.
바다에 얼음덩어리가 떠다녀요.
그런데 지구 온난화 때문에 온도가 높아져서
남극, 북극의 얼음이 녹고 있어요.

투발루는 바다 한가운데에 있는 섬나라예요.
남극, 북극의 얼음이 녹아 바닷물이 많아져서
투발루가 점점 바다에 잠기고 있대요.
사람들이 마시는 물에 바닷물이 섞여서
마실 물이 부족하다고 해요.

그래서 투발루 사람들은 어쩔 수 없이
고향을 떠나 다른 나라로 이사 가고 있어요.

투발루

기후 변화로 비가 많이 오고
홍수가 나요

비는 사람, 동물, 식물이 살아가는 데
꼭 필요해요.
비가 내리는 양은 기후 변화 때문에
갑자기 늘기도 하고 줄기도 해요.

홍수처럼 갑자기 비가 많이 오면
사람들은 큰 피해를 입어요.
농사를 짓는 땅, 집, 동물, 사람들도 물에 잠기게 돼요.

옛날에도 홍수는 있었지만,
요즘에는 기후 변화로 더 자주, 더 큰 홍수가 나고 있어요.

홍수에 잠긴 마을

기후 변화를 막기 위해
함께 노력해야 해요

지구가 점점 뜨거워지는 것을 막기 위해서는
이산화 탄소를 줄여야 해요.
이산화 탄소는 석탄, 석유, 천연가스를 사용할 때 생겨요.

이산화 탄소를 줄이기 위해서는
모든 사람이 함께 노력해야 해요.

2015년 파리에서는 195개 나라가 모여
기후 변화를 막기 위해 이산화 탄소를 줄이겠다는 약속을 했어요.

이 약속을 지켜야
지구가 아프지 않고, 우리 모두 건강하게 살 수 있어요.

공장에서 나오는 이산화 탄소

기후 변화를 막기 위한 회의

새로운 에너지가
지구를 살려요

석탄, 석유를 많이 사용할수록 지구가 오염된다고 해요.
그동안 사람들은 석탄, 석유와 같은 연료로
집을 따뜻하게 하고 자동차를 움직였어요.

하지만 이제는 지구의 오염을 막기 위해
석탄, 석유를 대신할 새로운 에너지를
찾는 노력을 하고 있어요.

태양의 빛과 열을 이용하는 태양 에너지,
바람을 이용하는 풍력 에너지가
바로 새로운 에너지예요.
이런 에너지들은 많이 사용해도 지구가 아프지 않다고 해요.

바람의 힘으로 전기를 만드는 풍력 에너지

똥, 오줌으로 가는
버스도 있어요

똥은 더럽고 냄새나는 것으로만 생각하는데,
깨끗한 에너지를 만드는 데도 쓰여요.

영국에는 똥으로 움직이는 버스가 있어요.
미국은 동물의 똥을 모아 가로등 불을 켜기도 해요.
우리나라도 동물의 똥, 오줌으로 전기를 만들었어요.

똥, 오줌으로 전기를 만드는 과정에는
돈이 매우 적게 들어가
가난한 사람도 전기를 마음껏 쓸 수 있대요.

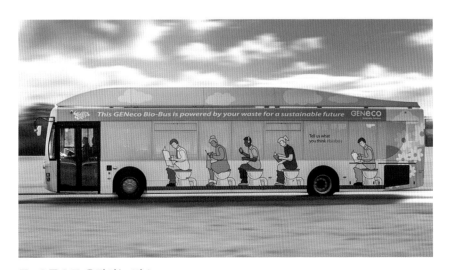

똥, 오줌으로 움직이는 버스

우리 생태계를 어지럽히는
동물과 식물

원래 다른 나라에서 살다 우리나라로 오게 된 생물은
우리나라의 생태계를 어지럽힐 수 있어요.

다른 식물이 자라는 것을 방해하거나
동물을 너무 많이 잡아먹어서
먹이 사슬이 엉망이 되거든요.

생태계가 어지럽혀지지 않도록 관심을 갖고 지켜봐야 해요.

생태계가
어지럽혀지고 있어요

다른 나라에서 온 생물,
유전자를 바꿔서 새롭게 만든 생물은
우리나라의 생태계를 어지럽혀요.

생태계를 어지럽히는 생물은
여러 가지 이유로 우리나라에 왔어요.

먹거리로 이용하려고 했다가 잘 관리하지 못해
야생으로 풀려서 살아가는 생물도 있고,
사람들이 반려동물로 키우려고 데려왔다가
키우기 힘들어져 버린 동물도 있어요.

반려동물 집에서 키우면서 가족처럼 지내는 동물

단풍잎돼지풀
미국에서 가져온 식물

황소개구리
미국에서 가져온 개구리

⚠️
키우기 힘들다고
자연에 함부로 풀어 주면
안 돼요.

생태계를 어지럽히는 생물, 이렇게 관리해요

우리나라는
황소개구리, 큰입배스, 블루길이라는 생물들을
생태계를 어지럽히는 생물로 정했어요.

지금까지 총 30종의 생물이
생태계를 어지럽히는 생물로 정해졌어요.
그리고 연구원들은 생태계를 어지럽히는 생물을
줄이기 위해 연구하고 있어요.

생태계를 어지럽히는 생물

동물(14종)

종류	이름
포유류(원숭이 등)	뉴트리아
양서류(개구리 등)	황소개구리
파충류(뱀, 거북 등)	붉은귀거북속 종류
	리버쿠터
	중국줄무늬목거북
어류(물고기)	블루길
	큰입배스
갑각류(가재 등)	미국가재
곤충류(나비 등)	꽃매미
	붉은불개미
	등검은말벌
	갈색날개매미충
	미국선녀벌레
	아르헨티나개미

식물(16종)

종류	이름
식물	돼지풀
	단풍잎돼지풀
	서양등골나물
	털물참새피
	물참새피
	도깨비가지
	애기수영
	가시박
	서양금혼초
	미국쑥부쟁이
	양미역취
	가시상추
	갯줄풀
	영국갯끈풀
	환삼덩굴
	마늘냉이

생태계를 어지럽히는
식물들

가시박

북아메리카에서 온 식물이에요.
가시박은 다른 식물의 잎, 가지에 붙어살아요.
그래서 다른 식물들이 햇빛을 보지 못해 말라 죽고 있어요.
한강 주변에 많아요.

단풍잎돼지풀

북아메리카에서 온 식물로
잎이 단풍잎처럼 생겼어요.
한번 뿌리를 내리면 무럭무럭 자라서
다른 식물이 자라는 것을 방해해요.

도깨비가지

북아메리카에서 온 식물로 꽃이 가지꽃을 닮았고,
줄기와 잎에 가시가 많아 도깨비가지라고 불러요.
너무 잘 자라고 빨리 퍼져서
다른 식물이 살아갈 땅이 부족해져요.

서양등골나물

북아메리카에서 온 식물로
우리나라의 등골나물보다 키가 약간 작아요.
그늘진 곳에서도 잘 견디고, 빠르게 퍼져 나가서
우리나라 식물이 자라는 것을 방해해요.

생태계를 어지럽히는 동물들

황소개구리

울음소리가 황소를 닮은 개구리예요.
키워서 먹거리로 팔기 위해 미국, 일본에서 가져왔어요.
하지만 잘 팔리지 않자
사람들이 강, 논밭에 그냥 놓아주었는데
그 후로 황소개구리가 다른 동물을 너무 많이 잡아먹고 있어요.

뉴트리아

쥐와 비슷하게 생겼지만 몸무게가 10킬로그램이나 돼요.
식물의 뿌리를 먹어 농사를 망치게 하고,
땅에 굴을 뚫고 살아서 땅이 무너지는 피해를 줘요.

꽃매미

중국에서 온 꽃매미는 나무에 달라붙어
나무의 즙을 빨아 먹어요.
즙을 빼앗긴 나무는 말라 죽게 돼요.

붉은귀거북

붉은귀거북은 미국 미시시피 계곡에서 왔어요.
물속 생물을 잡아먹거나
우리나라 토종 거북이의 쉴 장소를 뺏어 피해를 줘요.

동물들이 위험에 빠졌어요

한 종류의 동물이나 식물이 완전히 사라지는 것을
'멸종'이라고 해요.
수많은 동물, 식물은 세월이 흐르면서
자연스럽게 멸종되기도 하지요.

오래전부터 기후가 변하고 건강한 생태계가 사라지면서
동물, 식물이 더 빠르게 멸종되고 있어요.

동물이 멸종되는 이유는 사람이 동물을 함부로 잡고
동물이 사는 곳을 망가뜨렸기 때문이에요.

생물이 사라지는 것이
왜 문제가 될까요?

지구의 생물은 서로 먹고 먹히면서 살기 때문에
한 생물이 사라지는 것은 생태계 전체에 나쁜 영향을 줘요.

예를 들어 우리나라의 개구리가 사라지면
개구리를 먹고 살던 동물들이 함께 멸종돼요.

멸종될 위험에 빠진 동물과 식물

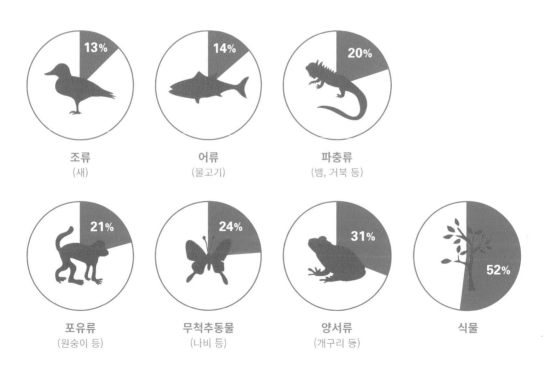

13%	14%	20%
조류 (새)	어류 (물고기)	파충류 (뱀, 거북 등)
21%	24%	31% / 52%
포유류 (원숭이 등)	무척추동물 (나비 등)	양서류 (개구리 등) / 식물

자료 출처: 세계 자연 보전 연맹, 2016

우리나라에 호랑이가
많이 살던 때가 있었어요

우리나라의 옛날 그림을 보면 호랑이가 많이 나와요.
조선시대에는 호랑이를 산에서 쉽게 볼 수 있었어요.

하지만 일제강점기 때 일본 사람들이 호랑이를 많이 잡아서
호랑이 가죽을 비싸게 팔았어요.

일제강점기 일본이 우리나라를 빼앗은 기간(1910년~1945년)

또한 새로운 도시, 도로가 생기면서 산이 없어졌어요.
살 곳이 없어진 호랑이는 점점 사라지게 되었죠.

호랑이

작은 동물도
사라지고 있어요

호랑이가 사라지면
호랑이의 먹이인 동물들이 더 잘 살 것 같지만
그렇지 않아요.

스라소니, 사향노루, 사슴 같은 작은 동물도
호랑이처럼 멸종될 위험에 빠졌어요.

산, 들, 강에 건물, 도로가 새로 생기면서
작은 동물이 살 곳이 없어졌어요.

스라소니

동물과 식물이
멸종되지 않도록 노력해요

1970년대 제주도에서 처음으로
식물의 멸종을 막기 위한 노력을 시작했어요.
그 이후로 들짐승, 날짐승, 물고기, 곤충 등
다양한 생물의 멸종을 막기 위해 노력하고 있어요.
노력한 결과 대표적으로 지리산 반달가슴곰의
수가 점점 늘어나고 있어요.

들짐승 들에 사는 동물
날짐승 날아다니는 동물

멸종될까 걱정되는 동물, 식물을 보호하는 법이 있어요.
보호해야 할 동물, 식물을 정하고,
어떻게 사는지 관찰하고 조사해요.

2012년부터 2020년까지 9년 동안
보호해야 할 동물, 식물 267종을 관찰했어요.

반달가슴곰

멸종 위기 생물을
어떻게 지키나요?

사람들이 동물을 함부로 잡고 자연을 망가뜨려서
건강한 생태계가 사라졌어요.
그래서 지구에 사는 많은 생물이
사라질 위험에 빠졌어요.

이 사실을 깨달은 사람들이
생물들이 사라지는 원인을 찾기 시작했어요.
생태계를 다시 건강하게 만들기 위해 노력하고 있죠.

그 노력 중 하나가 멸종될 위험에 빠진 생물이
다시 잘 살 수 있도록 돕는 일이에요.

멸종 위기 야생 생물이란
무엇일까요?

사라질 위험에 빠졌거나,
곧 사라질 것 같은 생물을 말해요.

나라에서 멸종 위기 야생 생물을 정해서 관리하고 있어요.

멸종 위기 야생 생물은
사람들이 함부로 할 수 없어요.

멸종 위기 야생 동물은 허락 없이 잡을 수 없고,
멸종 위기 야생 식물은 허락 없이 캘 수 없어요.
사거나 파는 것도 안 돼요.

허락받지 않은 식물 캐기

허락받지 않은 동물 잡기, 사거나 팔기

멸종 위기 야생 생물은
어떻게 정하나요?

생물의 수가 이미 많이 줄어서 사라질 위험에 빠진 생물은
멸종 위기 야생 생물 Ⅰ급(1급),
생물의 수가 점점 줄어들어 곧 사라질 것 같은 생물은
멸종 위기 야생 생물 Ⅱ급(2급)으로 정해져요.

Ⅰ급(1급)에는 반달가슴곰, 여우, 장수하늘소, 나도풍란 등
60종류가 있어요.
Ⅱ급(2급)에는 하늘다람쥐, 금개구리, 올빼미, 가시연꽃 등
207종류가 있어요.

고등균류(버섯 등)
1종류

포유류
(원숭이 등)
20종류

조류
(새)
63종류

식물
88종류

267종류

무척추동물
(게 등)
32종류

곤충
(나비 등)
26종류

어류
(물고기)
27종류

해조류(바다 식물)
2종류

양서류(개구리 등)
4종류

파충류(뱀 등)
4종류

야생 생물들을 다시 살리면
어떤 일이 일어날까요?

미국에서 있었던 일이에요.
사람들이 열심히 노력해서 늑대가 사라진 숲에
늑대를 다시 살게 했어요.
늑대가 사슴을 잡아먹으니
식물을 먹는 사슴의 수가 줄어들어
식물이 잘 자라기 시작했어요.
식물들이 잘 자라니 새, 곤충이 많아졌어요.

강 주변 식물도 다시 잘 자라게 되니
강에 사는 생물의 먹이가 풍부해져서
비버와 다양한 물고기가 강으로 돌아왔어요.

또 늑대가 코요테를 잡아먹으니 토끼, 쥐가 늘어났고,
토끼, 쥐를 먹고 살던 여우, 오소리도 많아졌어요.

사라진 늑대를 다시 살렸더니 숲의 생태계가 다시 건강해진 거예요.

멸종 위기 생물을 살리기 위해서는 서식지를 잘 관리해야 해요

서식지는 생물이 사는 곳이에요.
생물은 서식지에서 물, 먹이 등을 얻어요.
멸종 위기 생물이 자연으로 돌아갈 때는
생물이 잘 적응할 수 있는 서식지가 꼭 필요해요.

반달가슴곰을 자연으로 돌려보냈을 때
사냥꾼들이 불법으로 반달가슴곰을 잡는 일이 있었대요.

자연으로 돌려보낸 동물이 자동차에 치여
목숨을 잃기도 했고요.

야생 동물을 자연으로 돌려보내기 전에
어떤 어려움이 있을지 미리 살펴보고 준비해야 해요.

발전하는 생명 공학

생명 공학이란
생명을 다루는 기술이에요.
사람, 동물, 식물이 가진 하나하나의 유전자를 이용해
필요한 것을 만들어요.

생명 공학은 계속 발전하고 있어요.
서로 다른 생물의 유전자를 합쳐서
필요한 다른 생물을 만들 수 있어요.

하지만 생명 공학 기술을 이용해
사람이 원하는 생물을 만드는 것을 걱정하는 사람도 있어요.

지엠오(GMO)?
엘엠오(LMO)?

모든 생물은 유전자가 있어요.
원래의 유전자를 목적에 맞게 바꾼 생물을
'지엠오(GMO)'라고 해요.

유전자 부모 생물이 자식에게 물려주는 특징의 원인이 되는 것

지엠오 안에는 살아 있는 생명체도 있고
농산물처럼 생명이 없는 것도 있어요.
그중에 살아 있는 생명체는 '엘엠오(LMO)'라고 불러요.
엘엠오는 생명이 있어서 자식을 만들 수 있어요.

지엠오　　농산물,
　　　　　　공장에서 만든
　　　　　　먹거리

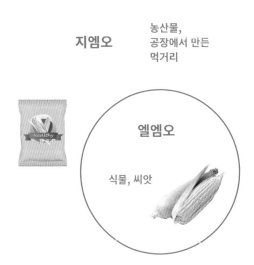

엘엠오

식물, 씨앗

지엠오의 종류를
알아보아요

지엠오 미생물

병을 낫게 도와주는 치료 약,
음식에 넣는 식품 첨가물을 만드는 데 쓰여요.

식품 첨가물 식품을 오랫동안 보관하거나 더 좋은 맛을 낼 수 있도록 하는 물질

그리고 지엠오 미생물로
많이 오염된 환경을 깨끗하게 만들 수 있어요.
지엠오 미생물은 만들기 쉽고
빨리 자라서 가장 많이 연구되고 있어요.

지엠오 동물

새로 개발한 치료 약을 사람에게 사용하기 전에
해롭지 않은지 검사할 때 사용해요.
그리고 동물의 젖이 더 많이 나오는 방법,
적은 먹이로 동물이 잘 자라는 방법을 알아내기 위해
지엠오 동물을 연구해요.

지엠오 식물

예전에는 사람들이 많이 먹는 콩, 감자, 옥수수를
나쁜 균에 쉽게 죽지 않도록 만드는 연구를 했어요.
지금은 건강에 좋은
곡식, 채소, 과일 등을 만드는 연구를 많이 해요.

전 세계에서 지엠오 농산물을 키우고 있어요

1996년부터 지엠오 농산물을
키워서 팔기 시작했어요.

2013년에는 지엠오 농산물을 키우는 땅이
1996년에 비해서 100배 넘게 넓어졌지요.

지엠오 농산물을 키우는 나라도
6개 나라에서 27개 나라로 늘어났어요.

지엠오 농산물에는
콩이 가장 많고 그다음으로 옥수수, 목화, 카놀라가 있어요.

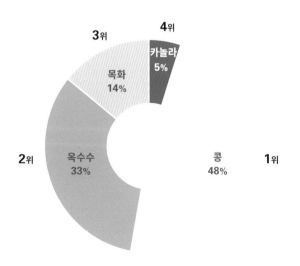

지엠오 농산물을 키우는 땅의 넓이

우리나라는 다른 나라에서
지엠오 농산물을 수입해요

우리나라는 지엠오 농산물을 직접 키우지 않고
다른 나라에서 수입해요.

수입 다른 나라의 물건을 사서 우리나라로 가져오는 것

우리나라가 수입하는 지엠오 농산물의 종류는
세계에서 5번째로 많고,
수입하는 양은 세계에서 2번째로 많아요.

수입한 농산물은
대부분 동물의 먹이로 쓰여요.

우리나라는 지엠오를
어떻게 관리하나요?

지엠오 농산물을 수입하기 전에
전문가가 지엠오 농산물이
사람이나 환경에 해롭지 않은지 심사해요.
심사한 결과 해롭지 않은 지엠오 농산물만 수입해요.

또한 엘엠오를 연구하는 과학자도 있어요.
엘엠오가 우리 생태계에 어떤 영향을 주는지 알아보고,
엘엠오로 오염된 환경을 깨끗하게 만드는 방법을 연구해요.

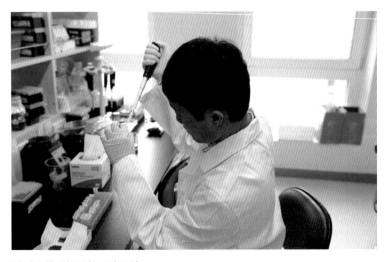

지엠오를 연구하는 연구원

우리나라는 엘엠오를
어떻게 관리하나요?

우리나라는 엘엠오를 수입해서 먹거나 사용하지만
엘엠오를 키우는 일은 막고 있어요.

만약 우리 생태계에서 자라고 있는 엘엠오를 발견하면 바로 없애요.
엘엠오 때문에 생태계가 나빠지지 않도록 하는 거죠.

가끔 엘엠오 농산물이 배로 수입되는 과정에서
원래 사용하기로 한 곳이 아닌 다른 데로 빠져나가는 경우가 있대요.

그렇게 빠져나간 엘엠오 농산물이 생태계에 나쁜 영향을 주지 않도록
나라에서 열심히 관리하고 있어요.

엘엠오를 관리하는 연구원

생태 모방이란 무엇일까요?

사람들은 생물을 보고 배우면서
과학, 기술을 발전시켜 왔어요.

동물의 날카로운 발톱을 보고 칼 같은 무기를 만들고
새의 날개를 보고 비행기를 만들었어요.

이렇게 자연의 동물, 식물을 보고 연구해서
사람에게 필요한 것을 만들어 내는 일을
'생태 모방'이라고 해요.

작지만 튼튼한
벌집 모양

꿀벌은 집을 만들 때 방을 육각형 모양으로 만들어요.
여러 개의 방은 서로 붙어 있어요.
이렇게 붙어 있는 육각형 모양을 벌집 모양이라고 불러요.

벌집은 비어 있는 곳이 없어 안정적이에요.
그래서 벌집 무게보다 훨씬 더 무거운 양의 꿀을 저장할 수 있어요.

사람들은 이렇게 튼튼한 벌집 모양을 따라
건물을 짓고, 포장지, 자동차 범퍼, 헬멧을 만들고 있어요.

**육각형 모양의
벌집**

**벌집을 보고 만든
포장지**

도마뱀붙이를 보고 만든
게코 테이프

곤충은 벽을 타고 올라가거나 천장에 거꾸로 매달릴 수 있지만
대부분의 다른 동물은 할 수 없어요.
하지만 더운 나라에 사는 '게코'라는 도마뱀붙이는
벽을 타거나 거꾸로 매달릴 수 있어요.
발바닥에 있는 솜털 때문에 벽에 닿으면 달라붙는 힘이 생긴대요.

이런 도마뱀붙이의 발바닥을 보고
과학자들이 게코 테이프를 만들었어요.
게코 테이프는 유리 벽에 딱 붙고,
떼어낼 때는 쉽게 떨어져서 사용하기에 좋아요.

**유리창에 붙은
도마뱀붙이의 발바닥**

**도마뱀붙이의
발바닥 솜털**

노랑거북복을 닮은
귀여운 자동차

제주도에서 볼 수 있는 노랑거북복은
몸은 작지만 빠르게 헤엄칠 수 있어요.

단단한 피부, 네모난 모양의 생김새가
잘 헤엄쳐 나갈 수 있도록 돕기 때문이죠.

독일의 한 자동차 회사는 노랑거북복을 보고
자동차를 만들었어요.
귀엽게 생긴 이 자동차는 빨리 달릴 수 있고,
비슷한 크기의 다른 자동차보다 연료도 조금 쓴대요.

네모낳고 피부가
단단한 노랑거북복

노랑거북복을
보고 만든 자동차

홍합은 딱 붙어서
떨어지지 않아!

홍합은 접착제를 바른 것처럼
바닷속 바위에 딱 붙어 살아요.
아주 세게 붙어 있어서 강한 파도에도
떨어져 나가지 않아요.

바위가 아닌 플라스틱, 유리, 피부 등에도 붙을 수 있고,
물에 젖을수록 달라붙는 힘이 더 강해져요.

사람들이 이런 홍합을 보고 수술할 때 쓰는 접착제를 만들었어요.
이 접착제는 홍합처럼 달라붙는 힘이 강하고,
살아 있는 생물에도 쓸 수 있어서
수술할 때 실 대신 사용한다고 해요.

바위에 단단히 붙어 있는 홍합

연잎은 항상 깨끗해!

연잎은 눈으로 볼 때는 매끄러워 보이지만
자세히 보면 작은 돌기들로 덮여 있어요.

돌기 뾰족하거나 울퉁불퉁하게 나온 부분

이 작은 돌기들 때문에
물방울이 연잎에 닿지 못하고 떠 있다가
또르르 굴러가게 돼요.
이때 연잎에 있던 먼지도 함께 사라지는 거죠.
그래서 연잎은 언제나 깨끗해요.

물에 젖지 않고 때가 잘 묻지 않는 옷,
물을 뿌리기만 해도 먼지가 깨끗하게 떨어지는 페인트는
이런 연잎을 보고 만들었어요.

연잎 위에 떨어진
물방울

다른 식물의 잎

연잎의 돌기

거센 바다도 문제없는
혹등고래의 지느러미

혹등고래의 가슴지느러미에는 혹이 달려 있어서
커다란 물결 모양으로 보여요.
가슴지느러미의 물결 모양은
고래가 물에 잘 뜨고, 바닷속을 잘 헤엄쳐 나갈 수 있도록 도와줘요.

혹등고래의 물결 모양 가슴지느러미를 보고
풍력 발전소의 날개를 만들었어요.
물결 모양의 날개는 바람이 조금만 불어도 잘 돌아가서
전기를 쉽게 만들 수 있도록 도와줘요.

풍력 발전소 바람을 이용해서 전기를 만드는 곳

혹등고래

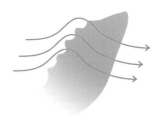

물결 모양 가슴지느러미

사막딱정벌레의
물 모으기

아프리카의 사막에 사는 사막딱정벌레는
아침에 안개를 모아요.
울퉁불퉁한 등에 안개를 모아서 물을 만들고,
그 물을 마시며 살아요.

사막딱정벌레가 물을 모으는 방법을 보고
한 디자이너가 '듀 뱅크'를 만들었어요.
'듀 뱅크'도 사막딱정벌레처럼 이슬을 모아서
하루에 물 1잔을 만들어 낸대요.

등으로 물을 모으는
사막딱정벌레

사막딱정벌레를 보고 만든
듀 뱅크

에어컨이 없어도
시원해!

사막에 사는 흰개미의 집은 사막 한가운데에 우뚝 솟아 있어요.
아파트 1~2층 높이의 무척 큰 집이에요.

흰개미의 집에는 구멍이 많아요.
이 구멍을 통해 더운 공기는 밖으로 나가고
시원한 공기가 집 안으로 들어와요.

아프리카에서 이런 흰개미의 집을 보고 건물을 만들었어요.
그래서 이 건물은 에어컨이 없어도 항상 시원해요.

흰개미의 집

흰개미의 집을 보고 만든 건물

우리나라의 아름다운
자연환경을 보호해요

우리나라는 봄, 여름, 가을, 겨울 4계절이 뚜렷해요.
또 산도 있고, 평평한 땅도 있고,
물기가 많은 땅도 있죠.
그래서 다양한 생물이 잘 살 수 있어요.

이런 우리나라의 자연환경을 잘 보호하고 관리하기 위해
전국의 생태계를 조사하고 있어요.

우리나라 자연환경을
조사해요

우리나라 연구원들은
5년에 1번 전국의 자연환경을 조사하고 있어요.

지금 자연환경이 어떤지,
멸종 위기 생물이 어디에 얼마만큼 있는지,
자연환경은 어떻게 변화하고 있는지 알아보고 있어요.

우리나라를 824개 지도로 나눠서
지도별로 특이한 모양의 땅을 조사하고,
어떤 동물, 식물이 사는지 알아보고 있죠.
이렇게 조사한 결과는 자연환경을 지키는 데 사용해요.

생태·자연도를
만들어요

생태·자연도는 우리나라가
산, 밭, 강, 호수, 도시 등을
4개 등급으로 평가해 그린 지도예요.

동물이나 식물이 살기 좋은 곳인지,
보호가 필요한 곳인지 등을 살펴보고
점수를 매겨서 등급을 나눠요.

생태·자연도를 만드는 이유는
생태계를 보호하기 위해서예요.

지역의 환경을 보호하는 계획을 세울 때나
도시를 개발하는 계획을 세울 때
먼저 생태·자연도를 확인한 후 결정해요.

환경 보호를 위해
모두가 노력해요

지구는 사람들에게
땅, 물, 공기를 아낌없이 나눠 주고 있어요.
하지만 사람들이 지구를 아끼지 않아 병들고 있어요.

아픈 지구를 위해 과학자, 환경 전문가들이
환경 보호를 위해 노력하고 있어요.
전문가뿐 아니라 우리 모두 환경을 보호해야 해요.

세계 여러 나라가 함께
노력하고 있어요

지구 환경이 위험하다는 것을 알게 된 세계의 여러 나라는
1972년에 처음으로 환경을 지키기 위한 회의를 했어요.

이것을 기념해서 회의가 열린 6월 5일을
'세계 환경의 날'로 정했어요.

그리고 지금까지 환경 보호를 위해
함께 노력하고 있어요.

생물 다양성 과학 기구란
어떤 곳인가요?

생물 다양성 과학 기구는
생물과 생태계에 관한 연구를 하고 정책을 만드는 곳이에요.
또 나라마다 생태계를 지키는 정책을
펼칠 수 있도록 돕기도 해요.

건강한 생태계에서 다양한 생물이 살 수 있도록
만드는 일은 중요해요.
사람들의 식량 문제를 해결하고,
건강을 지키는 데 큰 도움을 주기 때문이죠.

생물 다양성 협약은
무엇일까요?

생물 다양성 협약이란 여러 나라가 함께 모여
지구의 모든 생물을 보호하기 위해 맺은 약속을 말해요.
생태계뿐만 아니라 생물의 유전자도 보호하지요.

약 2백 년 전부터 생물들이 사라지는 속도가 빨라졌어요.
그래서 여러 나라가 모여 생물을 보호하자고 약속했어요.
우리나라도 참여하고 있어요.

어린이들도 환경 회의를
열어요

어른뿐 아니라 어린이도
환경을 지키기 위한 회의를 열어요.
이 회의 이름은 '툰자(TUNZA)'예요.
아프리카 말로 '배려와 애정으로 대하기'라는 뜻이지요.

툰자는 1995년에 처음 열렸어요.
전 세계의 어린이들이 함께 모여
환경을 공부하고 생각을 나눠요.

어린이들도 환경 보호를 위해 함께 노력하니
지구도 점점 깨끗해질 거예요.

쓰레기, 자동차, 탄소 방귀가 없는 마스다르

'마스다르'는 사막 한가운데 있는
친환경 도시예요.

마스다르의 모든 건물 지붕에는 햇빛을 모으는 판이 있어요.
햇빛을 모아 필요한 에너지를 만들지요.
햇빛으로 부족하면
바람, 쓰레기를 이용해 에너지를 만들기도 해요.

이 도시에서 나온 쓰레기는 모두 재활용되거나
에너지로 만들어져서 쓰레기를 보기 힘들다고 해요.

마스다르 안에서는 기름을 사용하는 자동차를 탈 수 없어요.
그래서 다른 도시에서 온 사람이라면
마스다르의 주차장에 가지고 온 차를 세워 놓고
햇빛으로 움직이는 자동차를 타야 해요.

그래서 일반 자동차를 보기 어렵고,
자동차가 내뿜는 탄소 방귀도 없다고 해요.

마스다르

탄소 배출권 거래는
무엇일까요?

탄소 배출권은
온실가스를 내보낼 수 있는 권리를 말해요.

온실가스 지구를 계속 더워지게 만드는 가스

나라마다 내보낼 수 있는 온실가스의 양이 정해져 있어
온실가스를 줄이려는 노력을 해야 해요.

그래서 탄소 배출권이 필요한 기업, 나라는
온실가스를 내뿜지 않는 기술을 개발해서
온실가스를 적게 내보내려고 애쓰고 있어요.

어떤 곳은 탄소 배출권을 많이 갖고 있는 기업, 나라에게
탄소 배출권을 돈 주고 사는데,
이것을 탄소 배출권 거래라고 해요.

우리나라는 2015년부터 탄소 배출권 거래를 시작했어요.

국립생태원

국립생태원은 사람과 자연이 함께 살아갈 수 있는 환경을 만들기 위해 연구, 교육 전시를 담당하는 기관입니다.
국립생태원은 사람이 머무는 모든 곳이 자연을 배우는 교실이 되기를 바랍니다.
자연이 우리의 미래가 되기를 바라는 마음으로, 소중한 생태 정보와 이야기들을 다양한 책으로 만들고 있습니다.

정보 제공 및 내용 감수에 참여한 국립생태원 연구원

권용수 권혁수 김백준 김수환 김우열 박정수 박진영 박진호 백고은 오우석
윤지현 윤희남 이수길 이은옥 이중로 이태우 임정은 조광진 주우영 최승세 최원균

쉬운 정보 감수에 참여한 사람

김은비 노승준 이주형 정유민 홍미숙

쉬운 글과 그림으로 보는 자연 이야기 **알기 쉬운 생태계**

발행일 2020년 12월 15일 초판 1쇄 발행, 2022년 3월 18일 초판 3쇄 발행 | 엮음 국립생태원 | 그림 김영곤, 박소영, 김창희, 홍기한, 이형진, 권소희
발행인 조도순 | 책임편집 유연봉 | 편집 이진원 | 디자인 소소한소통 | 본문구성·진행 소소한소통
사진 국립생태원(멸종위기종복원센터, 생태보전연구실, 동물복지부, 최태영, 이승혁, 최승세), 김창회, Shutterstock, 연합뉴스, 환경공간정보서비스, 위키미디어, UPI
발행처 국립생태원 출판부 | 신고번호 제458-2015-000002호(2015년 7월 17일)
주소 충남 서천군 마서면 금강로 1210 | 홈페이지 www.nie.re.kr | 문의 041-950-5999 | 이메일 press@nie.re.kr

©국립생태원 National Institute of Ecology, 2020
ISBN 979-11-91206-20-3 14400
ISBN 979-11-90518-20-8 (세트)

조심하세요
책을 던지거나 떨어뜨리면 다칠 수 있으니 조심하세요.
온도가 높거나 습기가 많은 곳, 햇빛이 바로 닿는 곳에는 책을 두지 마세요.

이 책은 환경 보존을 위해 친환경 용지를 사용하였고, 인체에 무해한 콩기름 잉크로 인쇄하였습니다.